공광규(孔光奎, Kong kwangKyu) 시

여린 풀과 벌레와 곤충을 밟지 않으려고 맨발로 산행하는 일상을 소중히 여기며 시를 쓰고 있습니다.
1960년 서울 돈암동에서 태어나 충청남도 청양에서 자랐습니다. 동국대학교 국어국문학과를 졸업하고,
단국대학교 대학원 문예창작학과에서 박사학위를 받았습니다.
1986년 《동서문학》 신인문학상에 당선된 이후 신라문학대상, 윤동주상 문학대상, 동국문학상,
현대불교문학상, 김만중문학상, 고양행주문학상, 디카시작품상, 신석정문학상, 녹색문학상, 단국문학상을 받았습니다.
자연 친화적이고 호방한 시 〈담장을 허물다〉는 2013년 시인과 평론가들이 뽑은 가장 좋은 시로 선정되었습니다.
그의 시 〈별국〉, 〈얼굴 반찬〉, 〈소주병〉, 〈별 닦는 나무〉가 중고등 교과에 실려 있으며,
〈별국〉은 2019년 호주 캔버라대학교 부총장 국제 시 작품상(University of Canberra Vice Chancellor's International Poetry Prize)
후보에 오르기도 했습니다.
시집으로 《담장을 허물다》, 《서사시 금강산》, 《서사시 동해》 등과 산문집 《맑은 슬픔》이 있으며,
어린이를 위한 책으로 《성철 스님은 내 친구》, 《마음 동자》, 《윤동주》, 《흰 눈》, 《하늘 그릇》,
《담장을 허물다》, 《할머니의 지청구》, 《엄마 사슴》, 《청양장》, 《별국》 등이 있습니다.

김재홍(金宰弘, Kim JaeHong) 그림

인간과 자연을 주제로 그림책 작업을 하고 있습니다.
쓰고 그린 그림책으로 《동강의 아이들》, 《숲 속에서》, 《로드킬-우리 길이 없어졌어요》가 있고,
그린 그림책으로 《엄마가 섬 그늘에 굴 따러 가면》, 《영이의 비닐우산》, 《아가 마중》, 《무지개》, 《우리 가족이 살아온 동네 이야기》,
《송아지 내기》, 《똥 자 들어간 벌레들아》, 《너 제주도에 있니?》, 《고향으로》, 《엄마의 품》, 《동물 농장》 등이 있습니다.
그린 동화책으로 《쌀뱅이를 아시나요》, 《고양이 학교》, 《도들마루의 깨비》, 《무옥이》, 《반지 엄마》,
《금단현상》, 《숨 쉬는 책 무익조》 등이 있습니다. 《동강의 아이들》로 에스파스앙팡상을, 《고양이 학교》로 앵코륍티블상을,
《영이의 비닐우산》으로 BIB어린이심사원상을 수상했습니다.

안선재(앤서니 수사, Brother Anthony of Taizé) 번역

영국에서 태어나 옥스퍼드대학교에서 학위를 받고, 1985년부터 서강대학교 영문과 교수로,
현재는 서강대학교 명예교수로 재직하고 있습니다.
1994년에 우리나라로 귀화했으며, 대한민국문학상 번역부문 대상, 대산문학상 번역상, 한국펜클럽 번역상을 수상했고,
2008년 옥관문화훈장을 받았습니다.
고은 시인의 《만인보*Ten Thousand Lives*》와 《화엄경*Little Pilgrim*》 등 30권 이상의 한국 시와 소설의 영문 번역서를 냈습니다.

구름

A Cloud

개정1판 1쇄 | 2024년 1월 29일
1판 1쇄 | 2013년 9월 9일

시 | 공광규
그림 | 김재홍
번역 | 안선재(Brother Anthony of Taizé)

펴낸이 | 박현진
펴낸곳 | (주)풀과바람
주소 | 경기도 파주시 회동길 329(서패동, 파주출판도시)
전화 | 031) 955-9655~6
팩스 | 031) 955-9657
출판등록 | 2000년 4월 24일 제20-328호
블로그 | blog.naver.com/grassandwind
이메일 | grassandwind@hanmail.net

편집 | 이영란
디자인 | 박기준
마케팅 | 이승민

값 14,000원
ISBN 979-11-7147-035-8 77810

※ 잘못 만들어진 책은 구입처에서 바꾸어 드립니다.

제품명 구름 | **제조자명** (주)풀과바람 | **제조국명** 대한민국
전화번호 031)955-9655~6 | **주소** 경기도 파주시 회동길 329
제조년월 2024년 1월 29일 | **사용 연령** 3세 이상
KC마크는 이 제품이 공통안전기준에 적합하였음을 의미합니다.

⚠ 주의
어린이가 책 모서리에
다치지 않게 주의하세요.

구름

공광규 시 · 김재홍 그림

바우솔

별 하늘에

구름 한 덩이가 일어나더니

쥐를 만들었다가

소를 만들었다가

호랑이를 만들었다가

토끼를 만들었다가

용을 만들었다가

뱀을 만들었다가

말을 만들었다가

양을 만들었다가

원숭이를 만들었다가

닭을 만들었다가

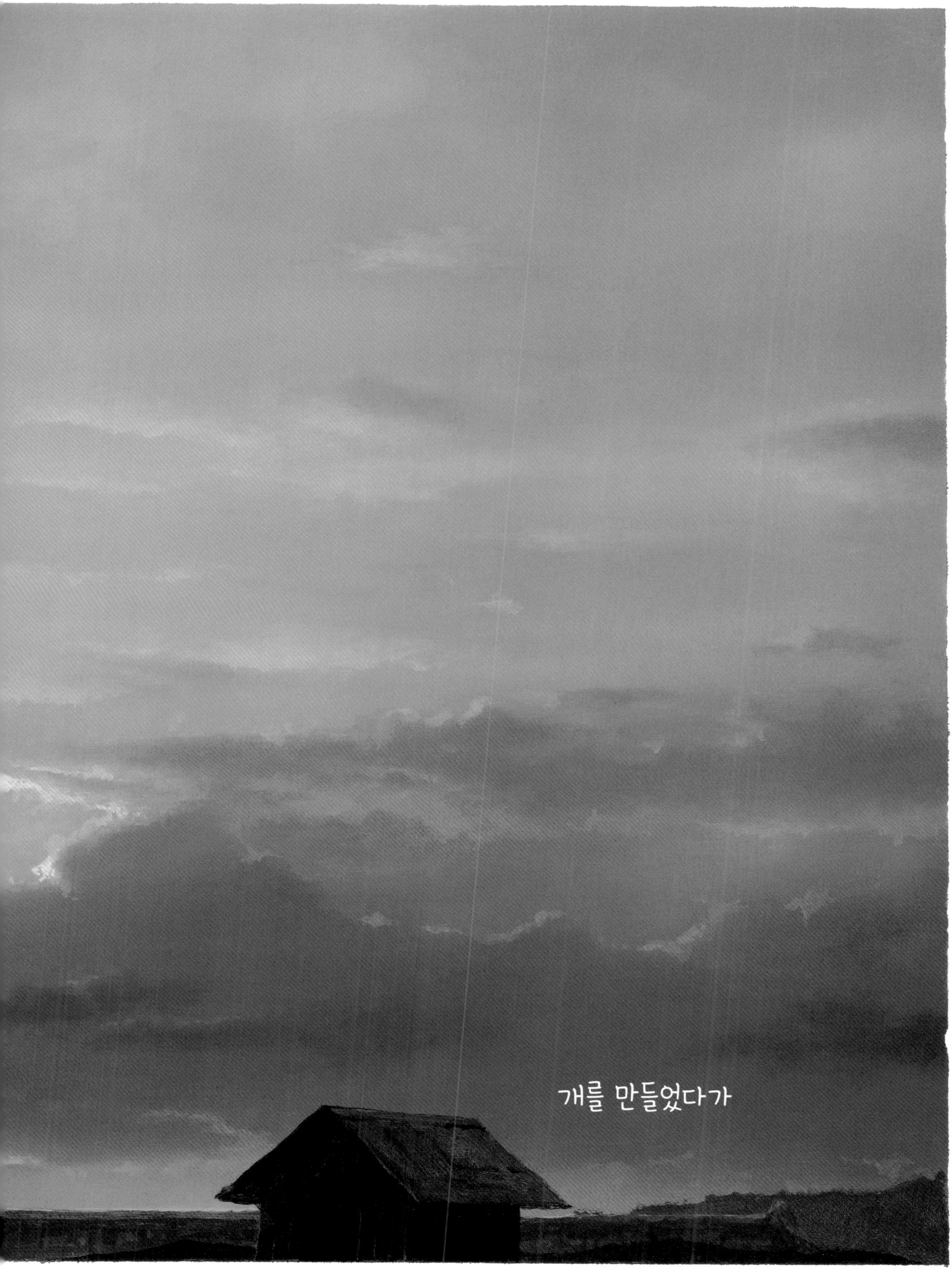
개를 만들었다가

돼지를 만들었다가

또, 뭘 만들지?

하늘에는 열두 동물 눈들이

말똥말똥

A Cloud

In the starry sky, a cloud appears,

makes a mouse

makes a cow

makes a tiger

makes a rabbit

makes a dragon

makes a snake

makes a horse